# BIENVENUE !

## DANS LE MONDE DES ANIMAUX DES BOIS ET DES CHAMPS

**Apprends des informations étonnantes
et découvre de belles illustrations sur ces animaux fascinants
qui peuplent la terre !**

Les petits dessins que tu
rencontreras te parlent :

 de leur habitat

 de leurs caractéristiques incroyables

 des régions où ils vivent

 de leurs performances

 de leur cri ou leur façon de communiquer

 de leurs habitudes alimentaires

 de leur poids

 de leur taille

 de leurs petits

 de leur vie en groupe

 des différentes espèces

 de leur durée de vie

# ET EN PLUS...

tu peux tester tes connaissances en répondant aux questions qui figurent
à la fin du livre. Toutes les réponses se trouvent dans cet ouvrage, mais
tu peux les vérifier en te reportant à la dernière page.

## BONNE DÉCOUVERTE !

**Le cerf commun vit dans les forêts d'Europe, d'Asie et d'Afrique du Nord.**

Il a le museau allongé, le cou fort, les pattes minces et robustes. Ses yeux, très vifs, ne cessent de scruter les alentours. Il peut peser 300 kg et mesurer 1,50 m au sommet de l'épaule (au garrot). La femelle (la biche) est beaucoup plus petite.

**Le cerf adulte vit seul, à l'écart des biches.**

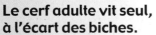

Celles-ci, guidées par une femelle âgée, forment des hardes avec leurs petits (les faons) et les jeunes mâles. En automne, les mâles adultes se battent pour posséder les femelles. Ils lancent alors leur brame sonore.

**En général, la biche met au monde un seul faon.**

Elle l'allaite jusqu'au début de l'hiver. Vers 2 ans, le jeune porte, sur le front, deux petites pointes qui ressemblent à des dagues : c'est devenu un daguet.

**Les " cornes " du cerf sont en fait des os (des bois) qui tombent et repoussent chaque année.**

Ces bois sont recouverts d'un poil dru : le velours. Adulte, le cerf est majestueux – on l'appelle "le roi de la forêt".

**Le cerf est vif, souple, toujours aux aguets.**

Son galop est rapide et il nage très bien.

**Il se nourrit le soir et à l'aube.**

Selon les saisons, il mange des herbes, des feuilles, des écorces, des fruits, mais aussi du blé, du maïs, des betteraves. Il a toujours un grand besoin d'eau et de sel.

# LE FAISAN

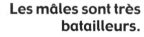

**Le plus connu est le faisan de Colchide (région des bords de la mer Noire).**

Les Grecs l'ont introduit en Europe dans l'Antiquité. Il vit dans les bosquets et les buissons en bordure des champs. La nuit, il se réfugie dans les arbres.

**Les mâles sont très batailleurs.**

Ils courtisent plusieurs femelles (jusqu'à 6). Ils poussent alors des cris rauques et battent bruyamment des ailes. Le reste du temps, ils vivent seuls et paisiblement.

**La poule faisane construit un nid tapissé d'herbes.**

Elle pond environ 12 œufs et nourrit les poussins pendant 15 jours. Le faisan peut vivre 10 ans, mais il est souvent victime des rapaces, des renards et des chasseurs. Peu intelligent, il est facile à piéger.

**Le lièvre vit en Europe, en Afrique et dans l'ouest de l'Asie.**

Il fréquente les terres cultivées, les prairies et les bois.

 **Le mâle (le bouquin) vit seul.**

Au printemps, il rejoint plusieurs femelles. Les bouquins se battent alors entre eux.

 **3 ou 4 fois par an, la femelle (la hase) a de 2 à 4 petits (ou levrauts).**

Elle les allaite pendant une semaine dans un gîte tapissé d'herbes. Le lièvre vit 6 à 10 ans.

**On dit : " courir comme un lièvre ".**

Bien dit : il peut courir longtemps à 50 km/h, avec des pointes à 90 km/h. Et il saute bien. Pourchassé, il zigzague pour brouiller la piste et parfois fait même demi-tour.

**Il adore le trèfle, la luzerne, le chou, le navet, la betterave...**

 Il abîme donc les cultures. Mais on le chasse beaucoup. Et le renard se régale des levrauts...

**Le hibou moyen duc vit dans le sud de l'Europe, en Afrique du Nord et en Asie.**

Il préfère les forêts de conifères mais se réfugie parfois dans les parcs des villes en hiver. On le reconnaît aux longues aigrettes qui ornent sa tête. Son bec crochu est très épais et ses griffes sont acérées.
Le hibou grand duc est plus montagnard et aime s'installer dans les falaises à pic. La femelle est plus grosse que le mâle.

HOU HOU HO

**Le cri du hibou s'appelle un hululement.**

Chez le moyen duc, il est plaintif, entrecoupé de silences, et s'entend à 1 km de distance. Le grand duc lance des sortes de " ou-ou-ôh ". Quand il est fâché, il claque du bec.

**L'œil du hibou est fait pour voir la nuit.**

D'où son regard qui effraie un peu. Autrefois, on disait qu'il portait malheur : une légende stupide. Comme il a aussi une très bonne ouïe, il est difficile de l'approcher.

**Le hibou est un chasseur nocturne.**

Ses proies sont des campagnols, des souris, des oisillons, des insectes, de petits reptiles. Il rejette (régurgite) les os, les poils et les plumes sous forme de pelotes que l'on retrouve au pied de son arbre.

## Mâles et femelles se retrouvent pour la reproduction.

Au printemps, la femelle pond 2 à 5 œufs dans un ancien nid de pie ou de corneille. Les adultes s'occupent des jeunes pendant 2 mois.

# LA FOURMI

**Il existe environ 6 000 espèces de fourmis dans le monde.**

Elles s'adaptent à tous les milieux. La fourmi rousse est très commune en Europe (6 à 9 mm de long).

**Une fourmilière peut contenir 500 000 fourmis.**

On y trouve une ou plusieurs reines (elles sont seules à pondre), des mâles et des ouvrières (les plus grandes sont les " soldats " qui défendent le nid).

**Les fourmis communiquent avec des odeurs (des phéromones).**

Elles communiquent aussi en se tapotant les antennes.

**La reine pond toute sa vie.**

Les œufs donnent des larves, qui se transforment en nymphes, puis en fourmis adultes. Une reine vit de 15 à 20 ans.

**Attaquées, elles projettent un acide (appelé acide formique).**

Elles peuvent aussi mordre et injecter du venin.

# LE RENARD

**On trouve le renard sauvage même en ville !**

Normalement, il vit dans les bois et les parcs, mais il s'adapte à tous les milieux et s'approche de plus en plus des maisons.

**À la campagne, le renard vit seul dans son terrier.**

Il marque son territoire d'une forte odeur de fauve. En ville, les femelles se regroupent pour élever les petits. Chiens et renards ne s'entendent pas.

**La renarde a environ 5 renardeaux par portée.**

Ils naissent sourds et aveugles. Elle les nourrit et joue avec eux pendant plusieurs mois.

**Il mange de tout (il est omnivore) : des rats, des lapins, des fruits, des baies.**

Et, faute de mieux, des charognes. Il vole parfois une poule. En ville, il fouille les poubelles.

# LE FAUCON

### Les faucons peuplent le monde entier.

On les trouve à la campagne comme en ville. Ils nichent dans les arbres ou les rochers à pic, dans les tours, les clochers ou les vieux bâtiments.

### Mâle et femelle élèvent les petits ensemble.

Ils en ont 3 à 5 par nichée et leur apprennent à chasser.

### Le faucon s'apprivoise.

Depuis des siècles, on le dresse pour la chasse : c'est l'art de la fauconnerie.

### Un record absolu de vitesse.

Le faucon pèlerin atteint 180 km/h quand il pique vers le sol !

### Un rapace très hardi.

Il attrape les souris, les pigeons, les lézards, les serpents, les insectes. Rien ne lui fait peur.

**Comme les papillons, il existe des coccinelles dans le monde entier.**

On distingue les espèces par la taille (3,5 à 5,5 mm), la couleur (du rouge au jaune) et le nombre de points noirs sur les ailes (les élytres). En Europe, la plus connue est la coccinelle à sept points.

**La " bête à Bon Dieu ".**

Elle mérite bien ce joli nom, car elle dévore les pucerons nuisibles aux cultures (jusqu'à 40 par jour).

**La femelle pond jusqu'à 200 œufs.**

Les larves qui naissent se transforment en nymphes, puis en insectes adultes (elles se métamorphosent).

**Sa couleur vive écarte ses ennemis et elle aurait mauvais goût !**

Mais les hirondelles l'attrapent quand même en vol et l'avalent sans problème.

**En hiver, elles se regroupent par dizaines.**

Elles se réfugient sous des feuilles ou dans des crevasses de troncs d'arbres.

# LE LOUP

**Autrefois, les loups étaient nombreux dans toute l'Europe.**

Il y en a encore (mais beaucoup moins) au Portugal, en Espagne, en Italie, en Europe centrale, en Scandinavie, en Russie et surtout au Canada. Les loups s'adaptent à tous les milieux.

**Le loup ressemble à un grand chien musclé.**

C'est d'ailleurs l'ancêtre de notre chien. Il peut mesurer 1,80 m de long (avec la queue) et peser plus de 50 kg. Il est haut sur pattes et possède de solides crocs. Dans les régions froides, sa fourrure est épaisse.

**Les loups vivent en meutes à la fin de l'été.**

Ces bandes regroupent un ou plusieurs couples avec leurs jeunes (les louveteaux). La meute est très organisée (hiérarchisée). Au printemps, le loup est plus solitaire ou forme des couples.

**La nuit, les loups hurlent pour inviter d'autres groupes à les rejoindre.**

En meute, ils communiquent par des postures et des mimiques. Les mâles peuvent s'affronter, mais se blessent rarement. Le vaincu expose son ventre au vainqueur, qui ne le mord pas. Le chef impose sa loi.

**La femelle (la louve) aménage une tanière pour mettre ses petits au monde.**

Elle en a de 3 à 6, au début du printemps. À 2 mois, ils peuvent suivre leurs parents. Les loups vivent une quinzaine d'années.

**Le loup n'est pas dangereux pour l'homme.**

Assez craintif et très méfiant, il évite tout contact (mais s'approche, il est vrai, des troupeaux). Capturé très jeune, il se laisse apprivoiser.

WOUWOUWOUU

**Le loup est très endurant.**

D'un trot régulier, il peut parcourir 50 km par jour, et il nage très bien. La meute marche " à la queue leu-leu ".

**Les loups suivent des parcours de chasse (jusqu'à 100 km).**

En meute, ils traquent du gros gibier : des cerfs, des chevreuils. Seuls, ils se contentent de  lapins ou d'oiseaux. Mais il leur arrive de dévorer une brebis… ou même un chien de berger.

# LA VIPÈRE

**On trouve des vipères dans presque toute l'Europe, en Afrique et dans l'ouest de l'Asie.**

La vipère aspic (60-70 cm de long) vit dans les milieux assez secs du sud. Sa tête est triangulaire et son museau retroussé. La vipère péliade (80 cm) vit dans les régions plus froides du nord. Sa tête est plus plate. Elle fréquente tous les milieux.

**Chaque vipère a son territoire, mais elle s'entend bien avec ses voisines.**

À la fin de l'été, les œufs éclosent dans le ventre de la mère (elle est ovovivipare). Il naît une dizaine de vipéreaux.

**Le venin de la vipère est dangereux, mais elle n'attaque pas l'homme. Sauf si elle se sent menacée.**

En cas de morsure, il faut se faire soigner très vite. Une bonne précaution : ne jamais mettre la main dans des trous de rocailles ni marcher pieds nus dans les broussailles.

**Elle chasse les lézards, les oiseaux, les souris, les rats des champs...**

En hiver, elle dort (elle hiberne) et vit sur ses réserves de graisse.

Il existe des chauves-souris dans le monde entier.

Elles vivent dans les forêts, les parcs, les grottes... ou dans les greniers. Quand elles ne volent pas, elles se suspendent tête en bas.

**La pipistrelle commune mesure à peine 5 cm de long.**

Ailes déployées, son envergure est de 18-20 cm. L'oreillard (à longues oreilles) et la sérotine sont plus grands.

Ses ailes sont faites de la peau lisse et nue qui s'étire entre les pattes et le corps.

Elle vole, mais c'est un mammifère, pas un oiseau ! Elle s'oriente grâce à un " radar " naturel. Et elle ne s'accroche jamais dans les cheveux.

**La pipistrelle mange des insectes volants.**

Certaines espèces préfèrent les fruits.

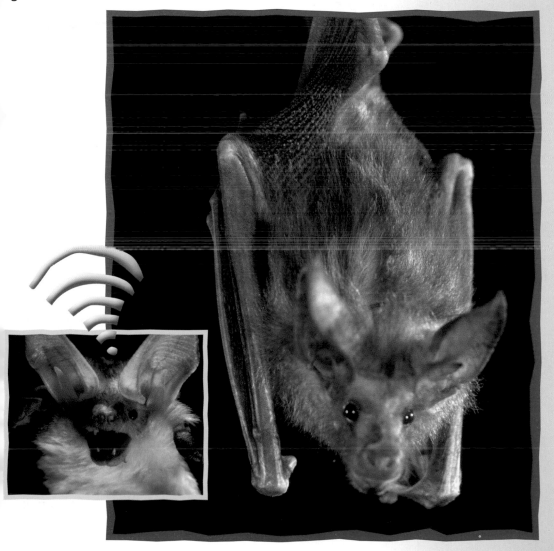

**Elle est typique des Alpes et de quelques autres montagnes d'Europe.**

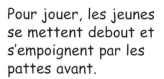

Elle installe son terrier sur les pentes orientées au sud.

**La marmotte a une belle fourrure gris-roux.**

Elle mesure jusqu'à 90 cm de long (avec la queue).

**Plusieurs familles forment ensemble une colonie (un clan).**

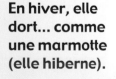

Le clan défend son territoire contre les autres familles.

**Pour se saluer, les membres du clan se frottent le museau.**

En cas de danger, ils sifflent pour donner l'alerte.

**En hiver, elle dort... comme une marmotte (elle hiberne).**

Au printemps, les mâles se disputent les femelles. La mère a 3 ou 4 petits qui hiberneront avec elle.

**Comme des catcheurs.**

Pour jouer, les jeunes se mettent debout et s'empoignent par les pattes avant.

**La marmotte mange les plantes, des feuilles à la racine.**

Elle attrape aussi des insectes, des escargots : elle doit faire des réserves de graisse pour l'hiver !

# LE BLAIREAU

**Il vit dans les forêts et les petits bois d'Europe, jusqu'à 2 000 m d'altitude.**

Avec ses puissantes pattes griffues, il creuse des terriers qui s'agrandissent de génération en génération et peuvent atteindre 20 m de long.

**On le reconnaît à son air pataud et à ses raies blanches et noires sur la tête (le corps est gris).**

Le mâle peut mesurer 75 cm de long (plus 15 pour la queue) et peser 20 kg.

**Son territoire s'étend sur 5 à 10 hectares.**

Il a une très bonne ouïe et un odorat très fin.

**Il est actif la nuit et ses habitudes sont mal connues.**

Il vit en couple ou en famille plus nombreuse. La femelle a en moyenne 3 jeunes en février mars. Le blaireau peut vivre 15 à 20 ans.

**Il mange vraiment tout ce qui se présente.**

Il adore les vers de terre, mais se nourrit aussi de mulots, de campagnols, de taupes, de hérissons, de grenouilles, d'escargots, d'œufs, de larves, d'herbe et de fruits. Il lui arrive de faire des dégâts dans les champs de céréales.

# LA SAUTERELLE

## CRICRI CRICRI

**En Europe, on trouve surtout la grande sauterelle verte.**

Dans la journée, elle reste dans les arbres et les buissons. Elle est bien camouflée grâce à sa couleur. Quand elle ouvre ses ailes (ses élytres), elle mesure plus de 5 cm. Elle ne vole qu'à ras du sol. Avec ses longues pattes postérieures, elle peut faire de grands sauts.

**Elle ne vit jamais en bandes.**

Mâles et femelles ne se rencontrent que pour la reproduction.

**En été, elle chante tard dans la nuit.**

Elle produit ce chant (une stridulation) en frottant ses ailes l'une contre l'autre - comme la cigale et le criquet.

**La femelle pond dans la terre.**

À l'extrémité de son abdomen, elle possède un organe en forme de tube (tarière) lui permettant de creuser un trou pour y déposer ses œufs.

**Ce ne sont pas des " sauterelles " qui ont envahi l'Égypte au temps de Moïse.**

Les insectes qui ravagent les cultures dans les pays chauds sont des criquets, qui ne mangent que des végétaux.

**La sauterelle se nourrit surtout de papillons de nuit.**

À l'occasion, elle attrape d'autres insectes.

**C'est un gros insecte, cousin de l'abeille, commun en Europe.**

Il est très velu et porte 3 bandes sombres sur le ventre. Il mesure 3 cm de long.

**Les bourdons vivent en colonies de 400 à 500 individus.**

Elles comprennent la femelle qui a fondé le nid (comme la reine des abeilles), des ouvrières, des mâles et des femelles qui seront fécondées pour l'année suivante.

**Au printemps, chaque femelle fécondée crée un nid.**

Elle le tapisse d'herbe et y pond ses œufs, qu'elle protège avec de la cire qu'elle sécrète.

Les œufs donnent des larves, qui se transforment en nymphes, puis en adultes (transformation appelée métamorphose). La femelle les nourrit avec une sorte de gelée royale, comme les abeilles.

**Les bourdons butinent sans relâche, même par mauvais temps.**

Ils se nourrissent de nectar et de pollen.

**Ils meurent à la fin de l'automne.**

Seules les femelles fécondées survivront dans un abri jusqu'au printemps suivant.

BZZZ

BZZZZZ

### Partout dans le monde, sauf dans les régions froides.

Il existe 150 000 espèces de papillons. Elles mesurent de 3 mm à 30 cm d'envergure (sous les tropiques) !

### Les papillons de jour sont souvent très colorés.

Ceux qui vivent la nuit sont plus ternes.

### La femelle pond de nombreux œufs.

Il en sort des chenilles, qui se transforment (se métamorphosent) en chrysalides puis en papillons. En général, un papillon ne vit pas plus d'un an.

### Pour faire peur aux ennemis.

Les couleurs et les dessins des ailes rappellent parfois la silhouette d'animaux venimeux. Elles découragent les prédateurs.

### La chenille grignote des feuilles.

Elle abîme souvent les cultures. Le papillon, lui, aspire le nectar des fleurs avec sa trompe, qui reste enroulée quand il ne s'en sert pas.

## Le sanglier vit en Europe et dans le nord de l'Asie.

Il recherche les régions humides couvertes de forêts et de fourrés. Il adore se rouler dans un trou plein de boue (une souille).

 **Au printemps, la femelle (la laie) met au monde 4 à 8 marcassins.**

Elle les élève dans un abri bien protégé. La durée de vie est de 30 ans maximum.

## Les sangliers vivent en groupes familiaux.

Ils communiquent par des grognements. Les vieux mâles sont solitaires.

## Un fonceur et un bagarreur.

Il court vite, nage bien et rien ne l'arrête. Blessé ou menacé, il charge. Avec ses deux défenses, il peut éventrer un chien.

## C'est un vrai goinfre !

Il mange de tout : des graines, des glands, des fruits, des oisillons, des  lapereaux, des insectes, des vers.
Il peut causer de gros dégâts dans les champs. Quand il est repu, il se repose dans une bauge aménagée dans la broussaille.

# QU'AS-TU

**C'est l'occasion de voir ce que tu as retenu de tout ce que tu viens de lire**

**1** Le cerf perd-il ses " cornes " ?

**2** Quelle est la durée de vie d'un faisan ?

**3** Comment s'appellent le mâle, la femelle et le petit du lièvre ?

**4** Quand le hibou est en colère, que fait-il ?

**5** Lorsqu'elles sont menacées, comment les fourmis se défendent-elles ?

**6** Que mange un renard ?

**7** Le faucon détient un record. Lequel ?

**8** Pourquoi la coccinelle mérite-t-elle son surnom de " bête à Bon Dieu " ?

**9** Pourquoi le loup se met-il à hurler la nuit, à la fin de l'été ?

**10** Que faut-il faire pour ne pas être mordu par une vipère ?

# RETENU?

**Tourne la page et compare tes réponses avec celles que tu y liras...**

QUESTIONS • QUESTIONS • QUESTIONS • QUESTIONS • QUESTIONS

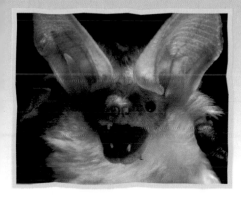

**11** L'aile de la chauve-souris est couverte de fines plumes. Vrai ou faux ?

**12** Pourquoi dit-on " dormir comme une marmotte " ?

**13** Quel est le milieu naturel du blaireau ?

**14** Quelles sont donc les " sauterelles " qui ravagent les cultures dans les pays chauds ?

**15** Comment appelle-t-on, chez certains insectes, la transformation de la larve en adulte ?

**16** À quoi peuvent servir les dessins sur les ailes des papillons ?

**17** Comment appelle-t-on la femelle du sanglier ?

# À TOI DE VOIR...

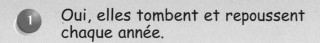

1. Oui, elles tombent et repoussent chaque année.

2. Un faisan peut vivre 10 ans. Mais il est trop chassé pour atteindre souvent cet âge.

3. Le mâle s'appelle le bouquin, la femelle la hase et le petit est un levraut.

4. Quand il est fâché, le hibou claque du bec.

5. Pour se défendre, les fourmis jettent de l'acide formique, mordent ou injectent du venin.

6. Le renard est omnivore (il mange de tout) et, en ville, il fouille même les poubelles.

7. Le faucon est l'oiseau le plus rapide du monde : il atteint 180 km/h en piqué.

8. La coccinelle mérite ce surnom parce qu'elle élimine les pucerons qui abîment les cultures.

9. Le loup hurle pour inviter d'autres loups à rejoindre la meute, pour les rameuter.

10. Il ne faut pas mettre sa main dans la rocaille ni marcher pieds nus dans les broussailles.

11. Faux. La chauve-souris est un mammifère, pas un oiseau. Ses " ailes " sont membraneuses (peau lisse).

12. On emploie cette expression parce que la marmotte dort profondément pendant tout l'hiver (elle hiberne).

13. Le blaireau vit dans les forêts et les bois d'Europe.

14. Ce ne sont pas des sauterelles, mais des criquets.

15. Cette transformation s'appelle une métamorphose.

16. Ces dessins peuvent évoquer un animal venimeux et décourager les ennemis.

17. La femelle du sanglier s'appelle la laie.